SPALLE AL MURO

Il nuovo "Gigante" segna l'esordio texiano di un'artista dall'eccezionale talento... Diamo il benvenuto a Laura Zuccheri!

Una storia di Tex Willer illustrata da una donna: a rendere ancor più speciale – perdonatemi il gioco di parole – il trentaquattresimo *Speciale Tex* che esce il 20 giugno 2019 è anche questo dettaglio certamente non marginale rispetto a una lunga, vetusta tradizione. Per decenni, infatti, il western è stato considerato un genere "maschile", vuoi per le tematiche dure, violente, con poche concessioni agli approfondimenti psicologici, agli intermezzi sentimentali, alle sottigliezze esistenziali… che, secondo un luogo comune, sarebbero invece elementi indispensabili per conquistare il pubblico femminile; un luogo comune, appunto, visto che, fra i fedeli lettori texiani, c'è sempre stato un discreto

gruppo di donne e ragazze. Nessuna preclusione, nessun pregiudizio hanno sinora tenuto chiuse le porte del Wild West fumettistico e in particolare dell'universo grafico-narrativo di Aquila della Notte di fronte all'avanzata della folta e agguerrita pattuglia di disegnatrici che, negli ultimi trent'anni, sono entrate nello staff di numerose serie di Casa Bonelli.

In realtà, per quanto riguarda Tex, si trattava soltanto di aspettare il momento e la persona giusta: e Laura Zuccheri – di lei sto parlando – era perfetta per questa piccola-grande innovazione, come ben dimostrano le 224 tavole che ha realizzato per *Doc!*, un episodio che Mauro Boselli, lo sceneggiatore, ha sin dall'inizio "pensato" per la nostra Laura. "Nostra", sì, perché la sua militanza bonelliana risale agli ormai lontani anni Novanta, quando, dopo un'esperienza nel campo della grafica pubblicitaria, collabora con Giancarlo Berardi e Ivo Milazzo alla realizzazione delle nuove avventure di Ken Parker, mostrando quanto le siano consone le atmosfere crepuscolari e i ritmi cinematografici di un anti-eroe che getta le basi del western moderno. Il passo successivo la vede firmare con Pasquale Frisenda un graphic novel fanta-techno, *Hardware*, scritto dal kenparkeriano Maurizio Man-

tero per la testata antologica *Zona X*, quindi Berardi la coinvolge nel suo progetto thriller-noir intestato a Julia Kendall, coraggiosa criminologa, ma, soprattutto, sensibile Indagatrice dell'Animo.

Abile pittrice, cartoonist molto amata anche dai francesi (per i quali illustra le serie *Le spade di vetro* e *Retour sur Belzagor*), Laura Zuccheri, intorno al 2014, si sente pronta per affrontare, come confessa nell'intervista, raccolta da Gianmaria Contro, che correda il suo "Texone", una sfida "*davvero dura, anche per i professionisti più navigati. Tex è sempre un 'caso a parte', in quanto classico – con più di settant'anni di Storia sulle spalle – non è inseribile in nessuna categoria che lo contenga tutto. E poi… poi il suo western è talmente epico e fuori dal tempo che, in un certo senso, è come un felice limbo che sta a metà fra il realismo estremo di Julia e l'assoluta libertà del fantasy*". Il risultato di questo incontro – inevitabile, direi – è ora sotto i vostri occhi, fra le pagine di *Doc!*. Non perdetelo!

Graziano Frediani

SPALLE al MURO

TESTI: RUJU   DISEGNI: ACCIARINO

KENNETH BOWEN E IL PICCOLO TIM MITCHELL, FIGLIO DI UNA SUA VITTIMA E DA LUI ADOTTATO, SONO A SAN FRANCISCO, DOVE BOWEN HA TROVATO UNA STANZA NELLA PENSIONE DELLA BELLA MARGIE E UN IMPIEGO ALLA BANCA DI MISTER GARTSIDE. TEX, CHE IN PASSATO HA PERDONATO L'EX KILLER, AVENDO INTRAVISTO IN LUI QUALCOSA DI BUONO, HA CHIESTO A TOM DEVLIN DI TENERLO D'OCCHIO. ORA LUI E CARSON SONO A SAN FRANCISCO, PROPRIO MENTRE ALCUNI VECCHI NEMICI DI BOWEN, CAPEGGIATI DALL'AVVENENTE CANTANTE LULAH, CUI KENNETH UCCISE IL FRATELLO, PROGETTANO UN PIANO PER INCASTRARLO, RAPINANDO ALLO STESSO TEMPO IL CONVOGLIO DELLA BANCA CHE BOWEN HA IL COMPITO DI SCORTARE. I BANDITI HANNO PRESO IN OSTAGGIO TIM E MARGIE PER RICATTARE BOWEN...

NEL PORTO DI SAN FRANCISCO...

E COSÌ, SIAMO A UN PUNTO MORTO.

NON È DETTO, VECCHIO GUFO.

I DUE SCANNAGATTI CHE ABBIAMO IMPIOMBATO NELLA SIERRA SONO STATI ARRESTATI PIÙ VOLTE NELLA ZONA DEL PORTO, PROPRIO DOVE CI TROVIAMO ORA.

PARE FREQUENTASSERO QUEL LOCALE, IL «BLUE DOLPHIN»

UN RITROVO DI ANIME CANDIDE, A QUANTO VEDO.

BLUE DOLPHIN

5

CHIEDIAMO SCUSA PER L'INGRESSO UN PO' RUMOROSO, AMIGOS!

CI FAREMO PERDONARE OFFRENDO DA BERE A CHI CI DARÀ QUALCHE NOTIZIA SU CHARLIE BOYD E ROD LEVINE.

BOCCHE CUCITE, EH? EPPURE SONO CERTO CHE QUEI DUE FOSSERO DI CASA, QUI DENTRO!

IN EFFETTI QUESTO TUGURIO SI INTONA ALLE LORO BRUTTE FACCE...

NEL FRATTEMPO...

CREDEVI DI ESSER-
TI LIBERATO DI ME,
VERO, BOWEN?

E'COSÌ; LO
AMMETTO!

E LA COSA
NON MI DISPIA-
CEVA AFFATTO.

INVECE SONO ANCO-
RA QUI. E, FOSSI IN TE,
NON PROVEREI A MET-
TERE MANO ALLA
COLT PER CHIUDERE
LA PARTITA. LA TUA
AMICA MARGIE E IL
MOCCIOSO NE SU-
BIREBBERO LE
CONSEGUEN-
ZE!

DOVE SO-
NO? CHE CO-
SA GLI HAI
FATTO?

STANNO BENE, NON PREOC-
CUPARTI. ALMENO PER IL
MOMENTO. E CONTINUERAN-
NO A STARE BENE, SE FA-
RAI QUELLO CHE TI
DICO.

TUTTO
QUELLO CHE TI
DICO!...CHIARO?
TI VOGLIO OBBE-
DIENTE E SCO-
DINZOLANTE CO-
ME UN CAGNO-
LINO!

LA COSA NON TI AGGRADA, LO CAPISCO. VORRESTI RIEMPIRMI DI PIOMBO.

A QUESTO GIRO HAI TU LE CARTE BUONE, LEE.

PREGA SOLO CHE AL PROSSIMO NON TOCCHINO A ME!

E TU PREGA CHE NON MI VENGA VOGLIA DI FARE UN CERTO DISCORSETTO AL PICCOLO TIM MITCHELL.

SONO RIMASTO L'UNICO A SAPERE CHE COSA HAI FATTO. COME CREDI SI SENTIREBBE QUEL MOCCIOSO, SE SCOPRISSE CHE SEI STATO TU A UCCIDERE SUO PADRE?

SE GLIELO DIRAI TI AMMAZZERÒ, LEE! COME UN CANE! E STAVOLTA MI ASSICURERÒ DI IMPIEGARE ABBASTANZA PIOMBO DA TENERTI SOTTO TERRA PER SEMPRE!

AL "BLUE DOLPHIN".

AHH,...NIENTE DI MEGLIO CHE UN SANO ESERCIZIO MATTUTINO!

SCOMMETTO CHE QUESTI PELLEGRINI NON LA PENSANO ESATTAMENTE COME TE, AMIGO!

PERCHE' SONO TIPETTI DELICATI.

A GIUDICARE DALLE LORO FACCE, MI ASPETTAVO QUALCOSA DI PIU'!

NON SEMPRE A UN BRUTTO MUSO CORRISPONDE UNA SCORZA DURA!

AVANTI, TU, IN PIEDI!

ORA RIPETERO' LA DOMANDA. E SE NON OTTERRO' SUBITO UNA RISPOSTA, LA RIPASSATA DI POCO FA TI SEMBRERA' UN PIACEVOLE SOLLETICO. CLARO?

S-SI'!

15

PARLAMI DI BOYD E LEVINE!

LORO... ACCIDENTI, NON SI FACEVANO VEDERE PIU' MOLTO SPESSO QUI DENTRO.

PER QUALE MOTIVO?

POSSO DIRVI SOLO UNA COSA CHE HO SENTITO, NON SO SE E' VERA O MENO....

VAI AVANTI. GIUDICHEREMO NOI SE CI INTERESSA.

ECCO, PARE CHE SI FOSSERO UNITI A UNA BANDA. GENTE DURA, CUI E' MEGLIO NON PESTARE I PIEDI.... PER QUESTO NESSUNO DI NOI AVEVA TANTA VOGLIA DI PARLARNE.

CI SONO UN MUCCHIO DI AMMAZZASETTE IN GIRO PER IL PAESE. DICCI QUALCOSA DI PIU'.

IL LORO CAPO... SI FA CHIAMARE SLEDGE, JOHN SLEDGE. NON SONO CERTO CHE SIA IL SUO VERO NOME. MA PARE CHE SULLA COSCIENZA ABBIA PIU' FUNERALI DI UN INTERO SQUADRONE DI BECCHINI!

JOHN SLEDGE... MMM....

ANCHE A ME DICE QUALCOSA.

ERA IL VICE DI WADE FAULEY, RAPINATORE DI BANCHE E FARABUTTO DELLA PEGGIOR RISMA. FRA TUTTI E DUE, AVEVANO SULLA TESTA UNA SFILZA DI TAGLIE LUNGA COME LA PISTA DA QUI A KANSAS CITY!

16

INTANTO...

CHE FACCIA-MO QUI? DOVE SONO MARGIE E TIM?

STA' ZITTO E DAMMI LA PISTOLA.

PUOI SCOR-DARTELO, LEE!

MUOVITI, SE NON VUOI CREARE PRO-BLEMI ALLA TUA BELLA E AL MOCCIOSO!

NON SONO MINAC-CE A VANVERA, AMI-CO. FIDATI!

MALEDETTO BASTARDO!

ECCO, COSI' VA MEGLIO!

MA GUAR-DA CHI SI RI-VEDE!

!

18

19

BASTA COSÌ!

RINGRAZIA IL CIELO CHE MI SERVI VIVO, BOWEN. NIENTE MI DAREBBE PIÙ PIACERE CHE FRANTUMARTI TUTTE QUANTE LE OSSA!

DAI, TIRALO SU.

SUBITO!

IN PIEDI, CAROGNA!

PORTALO DENTRO. ABBIAMO PARECCHIE COSE DI CUI PARLARE!

INTANTO...

MARGIE...

MARGIE, SVEGLIATI!! TI PREGO!

OOH...

STAI BENE?

S-SI', CREDO... CHE COSA E' SUCCES-SO?

QUANDO CI HANNO SPINTI NEL CARRO SEI CADUTA E HAI BAT-TUTO LA TESTA. PER UN MOMENTO HO TEMUTO CHE...

HO SOLO UN GRAN MAL DI CAPO... DOVE CI TROVIAMO?

NON LO SO... FUORI CITTÀ, CO-MUNQUE. CI HAN-NO FATTO VIAG-GIARE BEN-DATI.

21

NON VOLEVANO CHE VEDESSIMO DOVE CI STAVANO PORTANDO. QUESTO VUOL DIRE CHE NON HANNO INTENZIONE DI UCCIDERCI... STA' TRANQUILLO, TIM!

IO NON HO PAURA.

BOWEN E MISTER WILLER VERRANNO AD AIUTARCI, NE SONO CERTO!

LO SPERO... PICCOLO MIO.

LO SPERO TANTO!

QUELLA SERA...

POLICE HEADQUARTERS

TOM!

!

TEX! CARSON!

CI HANNO DETTO CHE ERI FUORI UFFICIO, COSÌ ABBIAMO DECISO DI ASPETTARTI QUI.

MI DISPIACE. CI SONO SEMPRE MOLTI CASI DA SEGUIRE, IN UNA CITTÀ COME SAN FRANCISCO. FURTI, VIOLENZE, OMICIDI... E ANCHE RISSE.

LO SO BENE, TOM!

A QUESTO PROPOSITO, UNA CERTA VOCINA MI HA SUSSURRATO CHE DUE STRANIERI HANNO MESSO SOTTOSOPRA UN LOCALACCIO DI PERIFERIA, MALMENANDO UN BEL PO' DI AVVENTORI...

NON DARE RETTA ALLE MALELINGUE, AMICO.' SI È TRATTATO DI UN PACIFICO SCAMBIO DI IDEE, NIENTE DI PIÙ.

SPUDORATO MENTITORE!

MMM... E A COSA AVREBBE PORTATO, QUESTO "PACIFICO SCAMBIO DI IDEE"?

A QUANTO PARE, DIETRO ALLA BANDA DI BOYD E LEVINE CI SAREBBE UN GRAN BRUTTO CEFFO, CON UNA LUNGA STORIA CRIMINALE. IL SUO NOME È JOHN SLEDGE!

SLEDGE, SICURO... STAVA CON WADE PAULEY, ANNI FA. POI QUALCUNO HA FATTO SECCO IL SUO CAPO!

E ORA È LUI A TENERE LE REDINI DELLA BANDA, DA QUELLO CHE ABBIAMO SENTITO...

DUNQUE SAREBBE QUE-
STO SLEDGE, L'ORGANIZ-
ZATORE DEL GROSSO
COLPO DI CUI MI AVE-
TE PARLATO?

NE SIAMO
SEMPRE PIU'
CONVINTI,
TOM.

PROBABIL-
MENTE NON AVE-
TE TORTO.... MA
C'E' UN'ALTRA CO-
SA CHE FORSE
NON SAPETE....

PAULEY FU UCCISO
NON LONTANO DA QUI....
ED EBBI MODO DI INTER-
ROGARE ALCUNI TESTI-
MONI DELLA SPARATORIA,
ALL'EPOCA....

DUNQUE?....

ECCO....SECONDO ALCUNE TESTI-
MONIANZE, WADE PAULEY FU STE-
SO DA UN PISTOLERO ANCORA
PIU'SVELTO DI LUI!

UNA SPECIE DI DEMONIO LA
CUI DESCRIZIONE CORRISPON-
DEVA IN TUTTO E PER TUTTO
AL NOSTRO AMICO KEN-
NETH BOWEN!

POCO LONTANO... BANK OF CALIFORNIA

SIETE PRONTI?

TUTTI PRONTI, MISTER GARTSIDE. IL CARRO E' STATO CARICATO E LA SCORTA E' AL COMPLETO. POSSIAMO PARTIRE ANCHE SUBITO.

BENE. BOWEN HA PREFERITO ANTICIPARE IL VIAGGIO RISPETTO AI PROGRAMMI E PARTIRE NOTTETEMPO... E IO SONO D'ACCORDO. NON SI E' MAI ABBASTANZA PRUDENTI!

ASPETTIAMO SOLO LUI, DUNQUE.

NON E' QUI?...

CREDEVO SI TROVASSE CON VOI!

DIAVOLO, QUELL'UOMO E' SEMPRE STATO PUNTUALE COME UN OROLOGIO SVIZZERO. POSSIBILE CHE PROPRIO OGGI...

NO, GUARDATE, ECCOLO CHE ARRIVA!

ALLA BUON'ORA!

28

NELLO STESSO MOMENTO...

TOC TOC

NON RISPON-
DE NESSU-
NO!

FORSE VANNO
A DORMIRE
PRESTO...

NON MI
CONVIN-
CE...

BRUTTI PRE-
SENTIMENTI,
SATANASSO?

LA POR-
TA NON E'
CHIUSA!

EHI, C'E'
QUALCUNO
IN CASA?

BUONASERA,
SIGNORI!

!

E VOI CHI DIAVOLO SIETE?

OLIVER WILSON, UNO DEI PENSIONANTI DI MISS MATTISON. OCCUPERO' UNA CAMERA PER TUTTA LA SETTIMANA.

AVETE PER CASO VISTO LEI O MISTER BOWEN?

NO, IN VERITA', ED E' PIUTTOSTO STRANO!...

MISS MATTISON AVREBBE DOVUTO SERVIRE LA CENA, STASERA. E' SEMPRE MOLTO ATTENTA E PUNTUALE CON I SUOI OSPITI, MA QUANDO SONO RIENTRATO NON C'ERA. COSÌ, SONO STATO COSTRETTO A MANGIARE IN UN RISTORANTE CINESE! MI RIMARRÀ TUTTO SULLO STOMACO!...

NESSUNA IDEA DI DOVE SIA ANDATA?

MI DISPIACE. SOGGIORNO SEMPRE QUI, QUANDO MI TROVO A SAN FRANCISCO, MA A PARTE QUESTO NON POSSO DIRE DI CONOSCERE BENE LEI O MISTER BOWEN.

E IL GIOVANE TIM MITCHELL?

IL RAGAZZINO, INTENDETE? NON HO VISTO NEANCHE LUI.

GRAN PUTIFARRE!

A QUESTO PUNTO E' PIU' CHE UN CATTIVO PRESENTIMENTO, KIT.

PIENAMENTE D'ACCORDO!

E' UN OCEANO DI GUAI!

INTANTO, SULLA PISTA CHE CONDUCE FUORI DALLA BAIA...

YAAAH! AVANTI!

PRENDEREMO LA PISTA A SUD EST DELLA SIERRA. E' LA PIU' BREVE FRA NOI E LA PRIMA FILIALE!

MA E' ANCHE LA PIU' STRETTA E IMPERVIA. ADESSO C'E' UN BUON CHIARO DI LUNA, PE-RO' PIU' TARDI POTREM-MO AVERE DIFFICOL-TA'...

NON SARA' UNA CAVAL-CATA TROPPO LUNGA. FAREMO UNA SOSTA A MEZZANOTTE E RIPAR-TIREMO ALLE PRIME LUCI DELL'ALBA.

L'IMPORTANTE E' MUOVERCI IN FRETTA. PRIMA AVREMO AFFIDATO QUEL DENA-RO A CHI DI DOVERE E PRIMA POTREMO STARE TRAN-QUILLI!

SONO D'ACCOR-DO!

LA PISTA A DESTRA, PAT! SEGUITE-CI!

32

TIM....

?

ORA SEI
PRONTO AD
ASCOLTAR-
MI, FIGLIO-
LO ?

NO!...E' UN
SOGNO. SOL-
TANTO UN
SOGNO!...

SI', E' UN SOGNO... PUO' DARSI.... MA CIO' NON SIGNIFICA CHE TU NON POSSA STARE A SENTIRE.

DOBBIAMO PARLARE DI QUELL'UOMO, DI BOWEN...

...DEVI SAPERE CHE COSA HA FATTO!

NO!

NON VOGLIO PIU' ASCOLTARTI!

TIM... STAI BENE? HAI AVUTO UN ALTRO INCUBO...

S-SI'.

HO SOGNATO MIO PADRE.

!

CI FER-
MIAMO
QUI!

SEI SICURO?
NON SIAMO TROP-
PO VISIBILI?

LA LUNA STA
PER TRAMON-
TARE. NON VO-
GLIO METTE-
RE A RISCHIO
LE ZAMPE DEI
CAVALLI.

E COMUNQUE
NESSUNO SA
CHE CI TROVIA-
MO QUI. E'LA
NOSTRA MIGLIOR
GARANZIA!

IL CAPO
SEI TU!

OOOOH!
FERMA!

35

NOI DUE FAREMO IL PRIMO TURNO DI GUARDIA. GLI ALTRI SI SISTEMERANNO INTORNO AL CARRO.

NON DOVREMMO AVERE SORPRESE, MA VOGLIO CHE SIAMO IN GRADO DI DIFENDERCI IN QUALUNQUE MOMENTO.

AGLI ORDINI!

MMM...

LA FORESTA E' PIUTTOSTO SILENZIOSA...

MEGLIO COSI'.

AVREMO UNA NOTTE TRANQUILLA!

36

CI MUO-
VIAMO?

SI', SEN-
ZA FARE
RUMORE.

SEGUITEMI!

EHI!

BOWEN, GUARDA LAGGIÙ!

LI HO VISTI, AMI-CO....

...LI HO VISTI.

THUD

AH!

CHE COSA DIA-VOLO...?!

NON TOCCARE QUEL FUCILE, PAT!

!

38

BOWEN...?!

CREDIMI, AMICO, MI DISPIACE.

TUTTI IN PIEDI, CON LE MANI IN ALTO. NON PROVATE A OPPORRE RESISTENZA.

RESTATE CALMI E NE USCIRETE SENZA DANNI!

ALL'IN-FERNO!

SEI UN BASTAR-DO!

HAI DETTO SENZA DANNI, BOWEN?...

41

LA MATTINA DOPO, ALL'ALBA...

PURTROPPO, MISTER WILLER, NEPPURE IO SO DIRVI DI PRECISO DOVE SI TROVI MISTER BOWEN!

SPIEGATEVI MEGLIO, GARTSIDE.

COME VI HO DETTO, L'HO MESSO A CAPO DELLA SCORTA DI UN NOSTRO CARRO BLINDATO.

HA LASCIATO LA CITTÀ SOLTANTO IERI SERA. MA IL PERCORSO LO DECIDE LUI, PER SICUREZZA. IO STESSO NON SO CHE STRADA ABBIA PRESO.

MMM...

NON PUO' ESSERE TROPPO LONTANO, COMUNQUE. IMMAGINO CHE SU QUEL CARRO CI FOSSE DEL DENARO.

PARECCHIO DENARO, VE L'ASSICURO.

IL MIO PARD E IO ABBIAMO PASSATO QUASI TUTTA LA NOTTE A CERCARE BOWEN, POI CI E' VENUTO IN MENTE CHE FORSE VOI POTEVATE SAPERE DOVE SI TROVASSE...

SU QUESTE MAPPE SONO SEGNATE LE FILIALI CHE DOVREBBE RAGGIUNGERE. SI TROVANO TUTTE A SUD DI SAN FRANCISCO.

E' UN BUON PUNTO DI PARTENZA.

COSA INTENDETE FARE?

CI METTEREMO SUBITO SULLE TRACCE DEL CARRO E DELLA SCORTA.

MISS MATTISON E IL GIOVANE TIM SONO SCOMPARSI. ABBIAMO RAGIONE DI CREDERE CHE QUALCUNO SI SERVIRA' DI LORO PER RICATTARE BOWEN.

SE E' COSI', DOBBIAMO TROVARLO AL PIU' PRESTO, PRIMA CHE SI CACCI DI NUOVO IN UN MARE DI GUAI!

INTANTO... ALLEGRO, BOWEN. TUTTI I TUOI PROBLEMI SI RISOLVERANNO PRESTO, ESATTAMENTE COME I NOSTRI.

MA PER MOTIVI MOLTO DIVERSI!

AH! AH! AH!

VA' ALL'INFERNO, LEE!

OH, NO, AMIGO. HAI GIÀ PROVATO A SPEDIRMI LAGGIÙ, TEMPO FA, RICORDI?

SOLO CHE TI È ANDATA MALE!

"CASEY E IO TI ASPETTAVAMO AL RANCH CHE QUELL'IDIOTA DI COBBS AVEVA OCCUPATO... IL RANCH DELLA TUA FAMIGLIA...*

* VEDI TEX N. 677, "DUEL- LO A MADISON CREEK".

TIENILI D'OC- CHIO. VADO A CONTROLLA- RE LE FINE- STRE.

MMM...

48

"ERA UN BELL'ORO-LOGIO D'ORO MAS-SICCIO. COBBS SI TROVAVA NELL'AL-TRA STANZA IN COMPAGNIA DEL MIO SOCIO, DUNQUE MI SONO DETTO: 'PERCHÉ NO?'!..."

"E' STATO IL FURTO PIÙ FORTUNATO DELLA MIA VITA, ANCHE SE IN QUEL MOMENTO NON POTE-VO SAPERLO."

"PERCHÈ, POCO PIÙ TARDI..."

ATTENTO, LEE!

!

SLAMM

BANG

SORPRESA!

AAH!

49

MALE-DETTO!

CREPA!

ARGH!

BANG

TUMM

"IL PROIETTILE SI ERA PIANTATO NELL'OROLOGIO CHE PORTAVO IN TASCA. MI AVEVA DATO UNA BELLA BOTTA, MA NON ERA PENETRATO NELLA CARNE."

"POI COBBS E SUA MOGLIE SONO USCITI FUORI INSIEME A TE, BASTARDO!..."

"AVEVANO INTENZIONE DI FARTI LA PELLE PER SALVARE IL LORO RANCH E IO HO APPROFITTATO DI QUEL MOMENTO PER FILARMELA DALLA PORTA POSTERIORE."

"AVEVO UN PAIO DI COSTOLE ROTTE, MA ERO VIVO. TUTTO SOMMATO MI ERA ANDATA BENE."

"UDII UNO SPARO, POI UN ALTRO, E PENSAI CHE PROBABILMENTE AVEVI SISTEMATO ANCHE I COBBS."

BANG

A QUEL PUNTO ERA MEGLIO SPARIRE, O AVREI FATTO LA STESSA FINE. MA HO GIURATO A ME STESSO CHE PRIMA O POI MI SAREI PRESO LA RIVINCITA.

FINALMENTE, A QUANTO PARE, QUEL GIORNO E' ARRIVATO!

!

ORA BASTA, LEE!

HO DETTO CHE DEVE ARRIVARE VIVO A DESTINAZIONE E CI ARRIVERA'. QUALCHE PARTE DEL DISCORSO NON TI E' CHIARA? O PREFERISCI CHE MI SPIEGHI IN UN ALTRO MODO?...

MMM...

IL CAPO SEI TU, SLEDGE. COMUNQUE NON AVREI PREMUTO IL GRILLETTO, STA' TRANQUILLO.

HO ANCH'IO UN BUON MOTIVO PER ASPETTARE. VOGLIO VEDERE LA SUA FACCIA QUANDO FARO' AL MOCCIOSO UN CERTO DISCORSETTO!

!?

SEI UN UOMO MORTO, LEE, E' UNA PROMESSA!

E IO PROMETTO CHE MI PRECEDERAI NELLA TOMBA, BOWEN. E IO VERRO' A BALLARE SOPRA LA TUA CARCASSA!

INTANTO...

LA PRIMA PARTE DEL PERCORSO NON PO-TEVA CHE ESSERE QUESTA. TRA NON MOLTO PERO'LA PISTA SI DIVIDERA' IN DUE...E POI TROVERE-MO ALTRE BIFOR-CAZIONI.

ALMENO NON DOVREMO PREOCCUPARCI DEI SENTIERI PIU' STRETTI.

UN CARRO PESANTE COME QUELLO NON CI POTEVA PASSARE.

QUESTO E' VERO.

E PER FORTUNA LA-SCIA SOLCHI PRO-FONDI E FACILMENTE RICONOSCIBILI.

NON CI RESTA CHE CERCARE DI ACCOR-CIARE LE DISTAN-ZE, ALLORA.

VAMONOS!

QUALCHE ORA PIÙ TARDI...

EHI, SATANAS- SO! GUARDA LAGGIÙ!

VISTO.

SEMBRA CONCIA- TO MALE, SI REG- GE A STENTO SUL- LA SELLA!

EHI, AMIGO!

UH...

STATE... STATE IN- DIETRO!

ERI DI SCORTA A UN CARICO GUIDATO DA KENNETH BOWEN, AMICO?

PROPRIO COSI', MISTER.

QUELLA CAROGNA CI HA TRADITO. HA CONSEGNATO IL CARRO A UN GRUPPO DI BANDITI!

CHE FINE HA FATTO IL RESTO DELLA SCORTA?

TUTTI MORTI. QUEI BASTARDI LI HANNO MASSACRATI... SOLO IO SONO RIUSCITO A FUGGIRE..

IL PROIETTILE E' ENTRATO E USCITO SENZA FARE GROSSI DANNI. BEVI UN SORSO... E' WHISKY, TI FARA' STARE MEGLIO... POI PENSEREMO A FASCIARE LA FERITA.

A QUANTO PARE, BOWEN HA SALTATO NUOVAMENTE LA BARRICATA.

E NON E' DIFFICILE CAPIRE PERCHE'.

AIUTAMI, KIT... CERCHIAMO DI RIMETTERE IN SESTO QUESTO POVERET- TO.

AHH!

HA PERSO MOLTO SANGUE, DOBBIA- MO TRASPORTAR- LO SUBITO IN CITTÀ.

RIIIP

IO...IO ME LA CAVERÒ. DA- TEMI UNA MANO A RIMONTA- RE IN SELLA. FRISCO NON E' LONTANA.

PENSI DI FARCE- LA A TORNARE DA SOLO?

HO LA PELLE DU- RA, AMIGO... E IL VOSTRO WHISKY MI HA RIMESSO IN SESTO!

IL MIO NOME E' TEX WILLER, E LUI E' IL MIO PARD KIT CARSON.

PERBACCO, HO SENTITO PARLARE DI VOI!

POTRESTI INDICARCI IL PUNTO IL CUI E' AVVENUTO L'ATTACCO?

MA CERTO. NON E' TROPPO DISTANTE DA QUI. LUNGO LA PISTA A SUD EST.

DUNQUE AVETE IMBOCCATO LA STRADA PIU' IMPERVIA...

L'AVEVA SCELTA BOWEN!... SEPPELLITE I MIEI COMPAGNI, VI PREGO...

NON VOGLIO CHE FINISCANO PREDA DEI CORVI!

LO FAREMO, AMIGO.

E LA LORO MORTE SARA' VENDICATA, HAI LA NOSTRA PAROLA!

CORAGGIO, GENTE, CI SIA-MO QUASI!

QUELLE VECCHIE BARACCHE DI CERCA-TORI D'ORO SONO ABBANDONATE DA DE-CENNI. UN RIFUGIO IDEALE. FRA NON MOLTO POTREMO GODERCI UN MERITATO RIPOSO.

IL TUO SARA' UN RIPO-SO PARTICOLARMENTE LUNGO, BOWEN, ETER-NO, OSEREI DIRE.

PARLI TROPPO, LEE, SARA' UN VERO PIACERE METTERE A TACERE QUELLA TUA LINGUACCIA A SUON DI PIOMBO!

60

BENTOR-
NATO, CAPO.
E' ANDATO
TUTTO BE-
NE?

ABBIAMO I SOL-
DI, COMPRESA LA
TUA PARTE.

LA DONNA
E IL RAGAZ-
ZINO?

HANNO AVUTO
DA BERE E DA
MANGIARE...

TI SEI ASSICURATO
CHE NON POSSANO
FUGGIRE?

LA PORTA E' ROBU-
STA, CAPO. E SOLO
IO HO LE CHIA-
VI.

MMM...

NELLO STESSO MOMENTO...

GIÀ.

ABBIAMO FINITO, SATANASSO...

LO AVEVAMO PROMESSO. NESSUNO DI LORO SARÀ CIBO PER I CORVI.

ORA NON CI RESTA CHE TROVARE GLI ASSASSINI.

NON CI SFUGGIRANNO, KIT. NEPPURE BOWEN.

QUALUNQUE SIA IL MOTIVO CHE LO HA SPINTO A RENDERSI COMPLICE DI QUESTO MASSACRO, DOVRÀ PAGARE COME GLI ALTRI! HA GIÀ AVUTO LA SUA SECONDA POSSIBILITÀ...

VAMONOS! ANCHE STANOTTE CI SARÀ LA LUNA. CON UN PO' DI ATTENZIONE RIUSCIREMO A NON PERDERE LE LORO TRACCE!

DENTRO, FORZA!

UH!

MARGIE... TIM... DOVE SONO? VOGLIO VEDERLI!

AH, SÍ?

IL SIGNORINO PRETENDE DI DARE ORDINI, ADESSO!

AH! AH! AH!

DIMMI DOVE SI TROVANO!

ORA MI HAI STUFATO, BOWEN!

JUMP

AH!

NON FAI PIÙ PAURA A NESSUNO!

PIANTALA, LEE!

THUD

HAI SENTITO IL CAPO. DEVE RIMANERE IN VITA!

MMM... HAI RAGIONE.

MA SOLO FINO ALL'ARRIVO DELLA SIGNORA. È UNA VERA BELLEZZA, SAI? UNA DONNA AFFASCINANTE COME POCHE.

ALMENO POTRAI RIFARTI GLI OCCHI, PRIMA DI CREPARE!

SLAMM

ALLORA?

LE TRACCE SONO ABBASTANZA CHIARE, PER FORTUNA.

SEI UOMINI IN SELLA. SI SONO TIRATI DIETRO ANCHE I CAVALLI DEL CARRO.

UN BEL GRUPPO.

E FACILE DA SEGUIRE, ALMENO PER NOI. VUOI CHE FACCIAMO UNA SOSTA?

NEMMENO PER SOGNO!

LE MIE VECCHIE OSSA SI LAMENTERANNO UN PO', MA NON VEDO L'ORA DI METTERE LE MANI SU QUEI TAGLIAGOLE.

MAI QUANTO ME, KIT!

E CON QUESTO ABBIAMO FINITO!

UN BEL MUCCHIO DI VERDONI FRUSCIANTI A TESTA.

C'E' DA SPASSARSELA PER UN BEL PEZZO!

NON FATELO TROPPO PRESTO! E NON A SAN FRANCISCO... VORREBBE DIRE ATTIRARE L'ATTENZIONE E FINIRE DRITTI IN BOCCA AGLI SBIRRI!

TRANQUILLO, CAPO. SIAMO TUTTI DEL MESTIERE.

GIÀ, LASCEREMO BENE CALMARE LE ACQUE, PRIMA DI FAR PRENDERE ARIA A QUESTI ANGIOLETTI!

CI SONO ANCORA UN BEL PO' DI DOLLARI, IN QUELLE SACCHE...

HAI AVUTO LA TUA PARTE, LEE. IL RESTO VA A ME E AGLI ALTRI CHE HANNO ORGANIZZATO IL COLPO.

QUALCHE OBIEZIONE?

IL CIELO ME NE GUARDI. DICEVO COSÌ PER DIRE!

MOLTO BENE, ALLORA LA SOCIETÀ È SCIOLTA.

ALMENO FINO AL PROSSIMO COLPO, GIUSTO, CAPO?

QUANDO AVRÒ UN NUOVO LAVORETTO IN BALLO, VI CHIAMERÒ!

CI CONTO.

ANCH'IO. AVETE BISOGNO DI AIUTO CON I PRIGIONIERI?

CE LA CAVEREMO BENISSIMO. VOI TRE POTETE LEVARE LE TENDE.

IN QUESTO CASO... È STATO UN VERO PIACERE!

ANDIAMO, RAGAZZI!

TERRANNO IL BECCO CHIUSO?

SANNO CHE GLI CONVIENE. PUOI FIDARTI.

ORA NON RESTA CHE OCCUPARCI DI BOWEN.

SANNO TUTTO!

ALL'INFERNO! NON VOGLIO FINIRE CON UNA CORDA AL COLLO!

FACCIAMO-LI FUORI!

TI AVEVO AVVERTITO, GIUGGIOLONE!

BANG

BANG

AH!

AHH!

BANG

BANG

BANG

UH!

SEMBRA CHE IL TUO FUTURO SI PROSPETTI MOLTO MENO ROSEO RISPETTO A POCO FA, GIOVANOTTO.

IO...IO...

SCENDI DA CAVALLO E NON FARE SCHERZI...O IL PROSSIMO PROIETTILE VERRÀ A SALUTARE LE TUE BUDELLA!

E VA BENE. NON SPARATE!

COME TI CHIAMI?

BILLY...BILLY DRISKELL!

SCOMMETTO CHE HAI GIÀ UNA BELLA LISTA DI MALEFATTE ALLE TUE SPALLE.

NON È COSÌ, MISTER WILLER. LO GIURO!

CLACK TAK TLAK TAK

AVANTI, BOWEN! USCIAMO!

TRA POCO LA MIA SOCIA SARÀ QUI, E A QUEL PUNTO REGOLEREMO TUTTI I CONTI.

MA CERTO, SLEDGE.

NON VEDO L'ORA!

EHI!

ATTENTO!

QUEL BASTARDO CI HA FREGATO!

TIM! MARGIE!

E' LUI! BOWEN!

?

AIUTAMI! DOBBIAMO RIUSCIRE A SFONDAR-LA, POI ANDREMO A PRENDERE QUEL BASTARDO!

E' UN UOMO MOR-TO, COM'E' VERO CHE MI CHIAMO JOHN SLEDGE!

CHE COSA SUC-CEDE? CHE CO-S'ERANO QUEI RUMORI?

GLI UOMINI CHE VI HANNO RAPI-TO... FRA POCO SARANNO QUI! DOBBIAMO AN-DARE VIA!

NO, BOWEN!

!?

TU NON VAI DA NES-SUNA PAR-TE!

79

DUNQUE SAREBBE JOHN SLEDGE, L'ORGANIZZATORE DEL COLPO?

ABBIAMO PRESO ORDINI DA LUI.

E QUESTO SLEDGE E' IL NEMICO DI BOWEN... DI CUI CI HA PARLATO TOM DEVLIN...

CLARO! IL NOSTRO KENNETH HA IMPIOMBATO IL SUO VECCHIO CAPO. MI CHIEDO SOLO PER QUALE MOTIVO NON LO ABBIA FATTO FUORI SUBITO.

IO... GLI HO SENTITO DIRE CHE UN'ALTRA PERSONA AVREBBE VOLUTO ASSISTERE ALLA SUA MORTE.

UNA PERSONA?...

SLEDGE HA PARLATO DI UNA DONNA. UNA DONNA MOLTO BELLA, CHE LO HA AIUTATO A PREPARARE IL PIANO.

E COME SI CHIAMEREBBE?...

NON LO SO. LUI NON LO HA DETTO.

MMM...

PENSI ANCHE TU QUELLO CHE PENSO IO, VECCHIO CAMMELLO?

CREDO PROPRIO DI SI'. C'E' SOLO UNA DONNA CHE AVREBBE POTUTO RACCOGLIERE INFORMAZIONI PREZIOSE SULLA BANCA DIRETTAMENTE DA MISTER GARTSIDE.

MMM... PERO' FACCIO FATICA A CREDERE CHE MISS LULAH SE LA INTENDA CON UN TAGLIAGOLE COME JOHN SLEDGE.

NON SAREBBE LA PRIMA VOLTA CHE CERTI MANIGOLDI SFRUTTANO LE GRAZIE DI UNA BELLA DONNA PER OTTENERE INFORMAZIONI.

EHI! MA... CO-SA....

STA' FERMO!... INOLTRE, LULAH CRISTALL HA TUTTA L'ARIA DI ESSERE UN NOME D'ARTE, DIETRO IL QUALE POTREBBE NASCONDERSI CHIUNQUE.

PRESTO FAREMO DUE CHIACCHIERE CON LA BELLA SIGNORA, KIT, MA PRIMA DOBBIAMO PENSARE A SALVARE MARGIE E IL PICCOLO TIM MITCHELL!

NON VORRETE LASCIARMI QUI?...

TORNEREMO A PRENDERTI, STA' TRANQUILLO. E SE PRIMA DI NOI ARRIVASSE UN ORSO O UN BRANCO DI COYOTES... BEH, PORTAGLI I NOSTRI SALUTI!

AL CAMPO DEI BANDITI...

LASCIA ANDARE LA DONNA E IL RAGAZZO, LEE. E' UNA FACCENDA FRA NOI DUE!

UH, NO. NON CI PENSO NEMMENO!

E' BELLO VEDERVI COSI', TUTTI INSIEME, UNITI CONTRO IL PERICOLO DIETRO AL VOSTRO NOBILE SALVATORE.

TU TI FIDI DI BOWEN, VERO, PICCOLO?

LEE... NON FARLO!

CERTO! NON E' UN DELINQUENTE VIGLIACCO COME TE!

E' IL TUO EROE, GIUSTO? DA GRANDE VORRESTI DIVENTARE COME LUI...

SI', E' COSI'!

E SE TI DICESSI CHE E' STATO PROPRIO BOWEN A UCCIDERE TUO PADRE?

82

BOWEN...

VA' DA LUI, MARGIE! NASCONDETEVI COME MEGLIO POTETE.

IO CERCHERO' DI TIRARMI DIETRO QUELLE CARO- GNE. *VAI, ORA!*

S-SI'...

BOWEN! DOVE SEI, MA- LEDETTO?

SPARERO' DUE COLPI PER ATTIRA- RE L'ATTENZIONE SU DI ME.

UNA BEL-
LA SFOR-
TUNA!...

MARGIE...TIM...
DEVO DARE LORO
IL TEMPO DI SCAP-
PARE, A QUALUN-
QUE COSTO!

PENSI
DAVVERO CHE
SIA SCARICA,
SLEDGE?...

CI AVRESTI GIA' SPARATO...
E COMUNQUE, ANCHE SE TI
RIMANESSE UN COLPO...
NOI SIAMO DUE...

MA TU
SEI IL PRIMO
DELLA LISTA,
SLEDGE!

CREDI DI SPAVENTARCI
CON QUESTI TRUCCHETTI?
SIAMO TUTTI CRESCIUTI
CON LA PISTOLA IN PU-
GNO, IDIOTA!

AHH...

TUMP

TUMP

PARTITA CHIU-
SA, SATANAS-
SO!

COSÌ
PARE.

E ORA...
!?

BOWEN!

CHI... CHI SIETE?

A SAN FRANCISCO MI CONOSCONO COME LULAH CRISTALL.

QUELLA BORSA E' PIENA DI DENARO...

CERTO. ED E' MIA!

NOSTRA, PER LA PRECISIONE, TESORO.

HAI RAGIONE, CARO. SCUSAMI.

MISTER GARTSIDE...

VEDO CHE MI HAI RICONOSCIUTO, MARGIE.

QUESTO, PURTROPPO, E' MOLTO SPIACEVOLE!

LO VEDI? E' TORNATO LAGGIU'!

SE NON HA PRESO UN CAVALLO PER SVIGNARSELA!...

SIGNIFICA CHE STA CERCANDO QUALCOSA...

PENSI ALLA BELLA MISS MARGIE E AL PICCOLO TIM?

LO SAPREMO PRESTO!

CHE COSA CI FATE QUI?

POTREI INVENTARMI QUALCHE SCUSA, MA BOWEN MI HA SEMPRE DETTO CHE SEI UNA DONNA INTELLIGENTE. NON MI CREDERESTI.

PERCIO' DOVRO' ESSERE MOLTO SINCERO CON TE, TANTO NON POTRAI RACCONTARE NULLA A NESSUNO!

SIETE IL DIRETTORE DELLA BANCA, UN UOMO ONORATO, RISPETTABILE...

SONO ANCHE UNO CHE AMA IL GIOCO E LA BELLA VITA, MIA CARA. E OLTRE AL BOTTINO, VERRO' RISARCITO PER IL FURTO... IL CARICO ERA MOLTO BEN ASSICURATO...

CHE COSA E' SUCCESSO, NELLA FORESTA?

I RANGERS HANNO FATTO FUORI SLEDGE E I SUOI SCAGNOZZI. LI HO SPIATI DA DIETRO UN ALBERO, PRIMA DI RAGGIUNGERTI. NON ERA PREVISTO CHE ARRIVASSERO SIN QUI, MA IN FONDO HANNO FATTO IL LAVORO SPORCO PER NOI.

QUELL'IDIOTA DI SLEDGE CREDEVA DI MANOVRARMI SERVENDOSI DI TE. NON HA CAPITO CHE ERA ESATTAMENTE IL CONTRARIO.

WILLER E CARSON... FRA POCO ARRIVERANNO!

NON SANNO CHE SIAMO QUI! E CERCANO BOWEN... ABBIAMO ANCORA QUALCHE ISTANTE. LO FAREMO BASTARE.

RISERVEREMO LORO LO SCHERZETTO CHE PENSAVAMO DI FARE A SLEDGE.

QUESTO POSTO DIVENTERA' LA TOMBA DI QUEI DUE RANGERS!

NO! NON POTETE!...

FAI STARE ZITTA QUELLA GALLINA, LULAH!

101

ADDIO AL GRANDE PISTOLERO!

CORAGGIO, TESORO, ALZATI. CI RESTANO SOLO POCHI SECONDI!

ERNIE.... HAI COLPITO ANCHE ME...

COSA?!

PERÒ, COLPO RISCHIOSO, SATANASSO!

HO IDEA CHE QUELLA DINAMITE FOSSE LÌ PER NOI!

GARTSIDE!

!

SEI STATO PIÙ VELOCE DEL PREVISTO, WILLER!

GETTA QUELLA COLT! TU E IO ABBIAMO PARECCHIE COSE DI CUI PARLARE!

OH, NO! NON LO FARO'!

NON SARO' UN TIRATORE AL VOSTRO LIVELLO, MA HO UNA BUONA MIRA, WILLER. SE COLPISCO L'INNESCO DI QUELLA DINAMITE RISCHIAMO DI FINIRE IN MILLE PEZZI!

? ! ?!

SEMBRA CHE LE CARTE MIGLIORI SIANO IN MANO MIA! PERCIO' ORA...

BANG

AH!

ZIIING

NON SEMPRE LE BUONE CARTE BASTANO PER VINCERE UNA PARTITA, AMIGO!

TIENI LE MANI BENE ALZATE. SEMBRA CHE IL GIUDICE AVRA' PARECCHIO DA FARE, NEI PROSSIMI GIORNI!

IO...

AHH!

BANG

ZIP

TU...

NON CI SARA'... NESSUN... PROCESSO, ERNIE...

TUMM

NÉ PER ME... NÉ PER TE!... AAH...

KENNETH!

MARGIE...

E' AN-
CORA
VIVO...

POTEVA FUGGIRE...MA
E' TORNATO QUI PER AIU-
TARCI...

NON NE
HO PER MOL-
TO...L'IMPOR-
TANTE E' CHE
VOI...SIATE
SALVI...

TIM...

VA' DA
LUI, RA-
GAZZO.

VOI...NON
SAPETE CHE
COSA HA
FATTO!...

BOWEN HA COM-
MESSO MOLTI ER-
RORI IN PASSATO,
MA DI UNA COSA
SONO CERTO. TI
HA SEMPRE VO-
LUTO BENE!

COSÌ, LULAH CRISTALL IN REALTÀ ERA AVA PAULEY, LA SORELLA DI WADE PAULEY.

BLUNT, IL PROPRIETARIO DELL'"ODALISQUE", CONOSCEVA IL SUO VERO NOME. NON È STATO DIFFICILE FARLO PARLARE.

QUESTO SPIEGA MOLTE COSE.

MISS LULAH E GARTSIDE AVEVANO ORGANIZZATO IL COLPO SERVENDOSI DI SLEDGE E DEI SUOI SCAGNOZZI. UNA VOLTA ARRIVATI AL DENARO, CONTAVANO DI LIBERARSI DI LUI E DI BOWEN CON LA DINAMITE.

DOVEVANO SPARIRE PER SEMPRE. LA COLPA SAREBBE RICADUTA SU DI LORO E NESSUNO AVREBBE SOSPETTATO DI UN ONESTO BANCHIERE E DELLA SUA FIDANZATA!

UN BUON PIANO. MA AVEVANO FATTO I CONTI SENZA DI VOI.

E SENZA BOWEN.

MISS MATTISON È QUI ANCHE STAMATTINA. TIM INVECE NON SI È VISTO NEPPURE AL FUNERALE.

NON DEVE ESSERE FACILE PER LUI. A QUANTO PARE BOWEN AVEVA UCCISO SUO PADRE.

MA POI HA DATO LA VITA PER QUEL RAGAZZO. QUESTO CONTERÀ PURE QUALCOSA.

MMM....

SEMBRA PROPRIO DI SÌ, VECCHIO MIO. GUARDA!

KENNETH BOWEN

FINE DELL'EPISODIO

114